Jeanne Ruland | Petra Kühne

Das Orakel der VÖGEL

Begleitbuch zu den 46 Karten

Schirner Verlag

Wir verzichten auf das Einschweißen unserer Kartensets – **UNSERER UMWELT ZULIEBE!**

ISBN 978-3-8434-9176-1

Jeanne Ruland
Mit Bildern von Petra Kühne
Das Orakel der Vögel

2. Auflage März 2023

Box: Anna Katharina Berg & Elena Lebsack, Schirner, unter Verwendung eines Bildes von Petra Kühne sowie #188233268 (© chocoma87) und #169686773 (© Transia Design), www.shutterstock.com
Karten & Begleitbuch: Anna Katharina Berg, Schirner, unter Verwendung von Bildern von Petra Kühne sowie #196629551 (© Transia Design), #188233268 (© chocoma87) und #169686773 (© Transia Design), www.shutterstock.com
Bilder: © Petra Kühne
Lektorat: Kerstin Noack-Zakel
Printed & bound by: Ren Medien GmbH, Germany

www.schirner.com

Ich widme dieses Kartendeck meinen Lieblingstieren und geistigen Verbündeten.

Inhalt

Vorwort und Dank

Wir danken allen Seelen, sowohl in den irdischen als auch den himmlischen Sphären, die an der Entstehung und Fertigstellung dieses Kartensets beteiligt waren. Unser Engel Jeanne hat sich bis zum Ende ihres irdischen Daseins voller Hingabe diesem Vogel-Orakel gewidmet. Sie liebte Vögel in all ihren Facetten und war regelmäßig schon früh auf den Beinen, um dem Vogelkonzert bei Sonnenaufgang zu lauschen. Es war ihr und uns als Familie ein großes Herzensanliegen, dass dieses wunderschön bebilderte Vogel-Orakel eines Tages das Licht der Welt erblickt. Nach langen Monaten des Rückzugs und der Stille ergab es sich wie durch eine Fügung, dass der Faden wieder aufgenommen wurde, um in einem harmonischen Miteinander von Seelen aus dem Schirner Verlag und unserem engen Familien- und Freundeskreis zum Abschluss zu bringen, was Jeanne begonnen hat.

Unser tiefster Dank gilt allen Menschen, die uns achtsam und liebevoll beim Vollenden dieses Werks begleitet und unterstützt haben. Wir sehen euch und achten euch. Danke – von Herz zu Herz.

Mögen die Vögel und ihre zauberhaften Botschaften dein Herz mit Freude und Leichtigkeit erfüllen, dich erheben und an die Magie und das Wunder des Lebens erinnern. Du bist ein Teil der göttlichen Schöpfung, ein Teil des großen Ganzen.
Möge der Segen aus den höchsten Gefilden fließen – zum Wohle aller!

In Liebe verbunden
Murat Karaçay & Ohana

Einleitung

Der Himmel ist nicht limitiert, die Botschafter des Himmels und Boten des neuen Morgens führen dich in eine höhere Perspektive.

Der Augenblick, in dem man einen Vogel erblickt, hat etwas Einmaliges, Freudig-Erregendes. Auf meinen vielen Reisen rund um die Welt waren die Vögel meine steten Begleiter. Sie zeigen mir an, was in der Welt vor sich geht, wer an mich denkt und wie es jemandem geht, an den ich gerade denke. Durch ihren Flug verbinden sie das Paradies des Himmels mit der Erde, ihre Botschaften können sphärisch, melodisch, aber auch zänkisch und streitbar sein. Ihre Sprache ist universell, ihr Erscheinen kein Zufall.

Vögel sind magisch, mystisch. Sie tauchen mit unseren Fragen im Herzen auf und verschwinden so schnell, wie sie gekommen sind. Ihr Lied erfüllt am Morgen und am Abend die Luft, ihr Ruf die Stille einer Mondnacht. Ihre Flugkünste sind einmalig, ihre Perspektiven von Bedeutung. Viele von ihnen sind wunderschön zu betrachten, exotisch, glanzvoll, farbenfroh, manche von ihnen sehen schlichtweg interessant aus, viele begegnen uns singend, die Welt verzaubernd, sie sind verbunden und doch frei. Vögel tragen die goldenen Samen der Pflanzen über die Weltmeere, um Inseln am anderen

Ende der Welt zu begrünen. Weite Strecken legen sie ohne Mühe zurück. Viele ihrer unglaublichen Fähigkeiten sind noch wenig erforscht, so verfügen sie über ein erstaunliches Orientierungsvermögen, große Beobachtungsgaben und eine elegante Art der Schwarmintelligenz, die nicht von dieser Welt zu sein scheint. Sie berühren die Seele. Unsere Seele ist wie sie – frei, fließend verbunden, einzigartig und doch dem Himmel angehörend.

Ba ist die Seele, die ihr einzigartiges Lied, ihren Ton in sich trägt und doch der Einheit entspringt. In der ägyptischen Mythologie faszinierte mich Ba, der Seelenvogel, der an vielen Tempelwänden zu sehen ist, am meisten. Frei von den irdischen Begrenzungen stehen ihm alle Bereiche des Himmels und der Seele offen, um seine Botschaften in die Welt zu tragen. Frei wie der Wind! Frei wie ein Vogel, so ist unser Licht. Erhebe dich in die freie Sicht. Frei, frei, ewig frei!

Mit diesem Kartendeck möchte ich dir die universelle Sprache des Himmels näherbringen und dir eine tiefere Sicht auf die Fähigkeiten, Botschaften und Kräfte der Vögel ermöglichen. Erhebe deinen Blick in den Himmel, sei einzigartig, frei und doch verbunden. Himmlische Welten können auf Erden manifestiert werden.

In Liebe, Jeanne Ruland

Anwendung der Karten

In diesem Begleitbuch erfährst du, wie du die Kraft und Medizin der Vögel praktisch anwenden kannst. Wie bei allen Krafttieren wird der Vogel dich finden und nicht du ihn. Durch jede Karte fließt eine bestimmte Energie. Die richtige Karte findet zu dir, auch wenn es so aussieht, als ob du sie auswählst.

Wenn du die Karten befragen möchtest, gehe am besten wie folgt vor: Stimme dich ein, indem du mit deiner Aufmerksamkeit ganz im Moment ankommst. Wenn du möchtest, breite ein schönes Tuch aus, zünde eine Kerze an, und fokussiere dich einfach ein paar Minuten lang auf deinen Atem. Sobald du bei dir angekommen bist, mische die Karten, und denke an eine Frage, die dir auf dem Herzen liegt. Mische die Karten so lange, bis du fühlst, dass es genug ist, und ziehe dann eine Karte. Wenn beim Mischen eine von sich aus aus dem Stapel herausfällt, ist das ein Zeichen der Vögel an dich. Dann ist dies deine Antwort.
Schaue dir deine Karte an, und lasse sie auf dich wirken, bevor du nachliest, welche Botschaft sie für dich hat. Vielleicht reicht schon das Bild der Karte, um dir einen aufschlussreichen Hinweis zu liefern, was die

Antwort auf deine Frage sein könnte und was in deinem Leben jetzt ansteht. Im Begleitbuch findest du eine weitere mögliche Deutung dazu, warum der Vogel in dein Leben tritt. Lies nach, was er dir über seine Zauberfedern verrät. Die Feder ist ein heiliges Zeichen, und jede Vogelfeder birgt eine besondere Magie, lasse dich von dieser Kraft berühren und inspirieren.
Am Ende jeder Vogelbeschreibung findest du eine Affirmation. Affirmationen sind positiv formulierte Sätze, die wir laut aussprechen oder mit denen wir in Gedanken arbeiten können, um eine bestimmte Energie in unserem Leben zu manifestieren. Die Affirmationen in diesem Begleitbuch helfen dir, dich dem Wirken der Vogelenergie zu öffnen. Du solltest sie so oft wie möglich wiederholen. Auf diese Weise bringst du diese bestimmte neue Qualität in dein Leben und machst sie zu einem Teil deiner selbst.

Du kannst einmalig oder über einen längeren Zeitraum mit deiner Karte arbeiten. Auch kannst du diese Karten allein nutzen oder mit anderen Kartensets kombinieren. Sei frei!

Die Karten

Adler

Erleuchteter Geist,
göttliche Führung

Bedeutung der Karte

Der Große Geist offenbart sich dir. Fliege wie der Adler – fliege hoch bis ins Universum, ziehe deine Kreise, und gleite auf den Flügeln des goldenen Lichtes. Ein Perspektivenwechsel ist jetzt angesagt. Schwinge dich auf in das unbegrenzte Bewusstseinsfeld. In der Natur und in der Stille kannst du mit Gott und dem Universum kommunizieren. Übergib dein Anliegen, und warte ab, welche Botschaften und Zeichen sich dir offenbaren. Höre den Ruf des Lichtes in dir, und breite deine Flügel aus, um dich aus irdischen Mustern und von Anhaftungen zu lösen. Befreit und von Leichtigkeit getragen, kannst du alles neu betrachten – aus einer allumfassenden und erleuchteten Perspektive. Du bist ein Sohn, eine Tochter des Lichtes.

Zauberfedern
Meine Federn symbolisieren die Sonnenstrahlen. Sie sind bedeutende Symbole der Sonnenkulturen dieser Welt. Im Haar getragen, schenken sie den Segen und Schutz des Großen Geistes. Als Räucherfeder werden sie gern dazu verwendet, die Aura abzuwedeln und mit Licht zu reinigen.

Weitere Bedeutungen

- Der Adler ziert viele Länderwappen, Zeichen von Königshäusern und Gebäuden, die eine große Reichweite und Machtstellung haben.
- höhere Perspektive, Hohes Selbst
- Aufschwung, Energieerhöhung
- Suche die Stille und Plätze der Höhe auf!
- Übernimm die Führung!
- Wähle die Stille, Weite und Bergeinsamkeit in der Gegenwart Gottes.
- Achte auf Eingebungen und göttlich geführte Zeichen.
- Königsvogel

Affirmation
»Ich bin im Lichte der großen Liebe hier. Ich vertraue mich der göttlichen Führung an.«

Amsel

Himmelsschau und Erdenleben

Bedeutung der Karte

Fröhlich zwitschernd, keck und frech zeigt sich die Amsel an deiner Seite. Mit ihr kannst du dich leicht über deine alten Muster erheben und in ein freudvolles, glückliches und harmonisches Leben hineinfliegen. Als fröhlicher Glücksvogel sitzt sie in deinem Lebensbaum und tut das, was notwendig ist, um dich an das Paradies auf Erden zu erinnern. Die Amsel wird auch »Schwarzer Druide« genannt. Mit ihrer mutigen Heilkraft unterstützt sie dich in deiner lichtvollen Weiterentwicklung. Dabei erinnert sie dich immer wieder laut schimpfend daran, dein Revier gut zu verteidigen. Bleibe zentriert in deiner Mitte!

Zauberfedern

Nach der Mauser ist mein Gefieder tiefschwarz und mein leuchtend gelber Schnabel weit sichtbar. Mein Federkleid ist zart und doch für weite Flüge geeignet. Meine Lieder können die Menschen in Trance versetzen und verbinden mit den himmlischen Gefilden.

Weitere Bedeutungen

- Eine positive Antwort oder Nachricht erwartet dich.
- Schatten- und Lichtarbeit
- Detox – Entgiftung
- Löse dich von schädlichen Gedanken, Gefühlen und Mustern.
- Reinigen und Ausmisten
- Öffne dich der Schönheit des Lebens!
- Lade das Glück in dein Leben ein.
- Abgrenzung und gesunde Grenzen setzen
- Tagträumen
- Verbundenheit mit dem Kleinen Volk
- Mittler zwischen Himmel und Erde

Affirmation

»Ich bin bereit, die ursprüngliche Freude in mir wiederzuerwecken.«

Ba
Seelenvogel

Seelenessenz

Bedeutung der Karte

Ba – der Seelenvogel – ist im alten Ägypten das Zeichen für die Essenz der menschlichen Seele und wird dargestellt als Falke mit Menschenkopf. Er steht für die Persönlichkeit, die spirituelle Manifestation, die den Körper zum Lebensende verlässt und ist ein integraler Bestandteil der Individualität eines jeden Menschen. Ba ist das Sinnbild für den Aufstieg und die Unsterblichkeit der Seele nach dem Tod.

Zauberfedern

Ich bin eng mit dir verwoben und werde durch dich und deine Erfahrungen in deinem heiligen Erdenleben geformt. Was macht deine Persönlichkeit, deine Individualität aus? Was macht dich einzigartig? Ist es deine Herzlichkeit, dein Humor, dein Charme, deine Güte, deine Hilfsbereitschaft, dein Streben nach höheren Zielen? Alle Wesenszüge, die dich zu diesem wundervollen, einzigartigen Teil der Schöpfung machen, werden ein ewiger Teil von dir, ein Teil von uns. Sieh dich in all deiner Größe und Schönheit, und nimm das Leben als das kostbare Geschenk an, das es ist.

Weitere Bedeutungen

- Essenz der Seele
- Wanderer zwischen Diesseits und Jenseits
- Symbol für Wiedergeburt

Affirmation

»Ich bin ein geistiges Wesen, das für eine gewisse Zeit eine menschliche Erfahrung macht, und als geistiges Wesen habe ich Zugang zu allen Ebenen und Dimensionen des Seins.«

Bachstelze

Lebensfreude und Genuss

Bedeutung der Karte

Die kecke und zarte Bachstelze bringt dir pure Lebensfreude und erinnert dich daran, dich nicht nur körperlich anzustrengen, sondern Genuss und Freude in deinen Alltag zu integrieren. Mit dem zarten Singvogel ziehen unbeschwerte Momente in dein Leben ein. Mache es wie die Bachstelze: Schöpfe Kraft aus einer reinen Quelle, nimm die Leichtigkeit der Luft an, breite deine Seelenflügel aus, und fliege – wachse über dich hinaus – in die Leichtigkeit des Seins.

Zauberfedern

Mein kontrastreiches, schwarz-weiß-graues Gefieder fällt auf. Meine Federn sind ein Weckruf für inneren Frieden. Mit meinen zarten langen Stelzen tripple ich mit wippendem und schnellem Schritt ständig auf Nahrungssuche umher. Am Wasser sitzend, erinnere ich dich daran, auf deine Gefühlswelt zu achten und auf seelische Ausgeglichenheit.

Weitere Bedeutungen

- Erwecke die Freude.
- Befreie dich aus dem Käfig der Anspannung.
- Negative Gedanken sperren dich ein.
- Geschenke kommen in dein Leben.
- Frische kehrt ein.
- Erlaube dir, deiner inneren Spur zu folgen.

Affirmation

»Mein Seelenwesen ist reine Freude, und diese drücke ich jetzt in meinem ganzen Sein aus.«

Bussard

Wachsamkeit,
inneres Gleichgewicht

Bedeutung der Karte

Der Bussard ist ein Symbol für die Macht des Geistes über die Materie und das Gebiet, das ihm unterstellt ist. Erscheint der Bussard in deinem Leben, so kann dies darauf hindeuten, dass Menschen aus deiner näheren Umgebung zu dir kommen, für die du Sorge zu tragen hast. Beantworte Fragen mit Sorgfalt, denn das Wort hat Macht und wird andere Menschen beeinflussen – es kann heilsam sein, aber auch Schaden anrichten.

Zauberfedern

Als Wächter, Späher und Jäger helfe ich dir, Schwachstellen auszuloten, sie aus einer höheren Perspektive zu betrachten, den Überblick zu gewinnen, um alte Kräfte aufzulösen und neue Energie hinzutragen. Ich zeige dir Störungen an und warne dich vor Energieraub, Klatsch, Tratsch, illegalen Machenschaften und Rufmord. Mit meinen Zauberfedern weise ich dir die Richtung, aus der jene kommen, damit du sie auflösen oder dich davor abschirmen kannst. Meine langen Gleitflüge symbolisieren die Macht der Gedanken und des Geistes, die du mit Bedacht und nach genauer Überlegung einsetzen kannst, um dein inneres Gleichgewicht zu finden, auszubauen und zu halten.

Weitere Bedeutungen

- Aufmerksamkeit und Verantwortungsbewusstsein
- Macht der Gedanken und Worte
- Wahrnehmung von Botschaften aus der näheren Umgebung
- Horizonterweiterung

Affirmation

»Ich achte auf die Zeichen in meiner näheren Umgebung und handle mit Bedacht und nach genauer Überlegung. Ich erweitere meinen Horizont und übernehme Verantwortung für ein größeres Feld in meinem Leben.«

Donnervogel

Übernatürliche Kraft, Führung

Bedeutung der Karte

Der Götterbote des Großen Geistes steht dir zur Seite und erinnert dich daran, demütig auf den Schöpfer und im Herzen ausgerichtet zu bleiben. Achte auf dein inneres Feuer, durch das du manchmal gehen musst, um auf richtige Weise damit umgehen zu können. Wenn du mit dem Feuer gespielt und dich verbrannt hast, so lerne aus deinen Fehlern, und vergib dir und anderen. Erscheint dir der Donnervogel, so erhältst du eine zweite Chance. Er lehrt dich, die Feuerkraft, die »Fackel des Lebens« richtig zu hüten, zu lenken und diese Kräfte so zu leiten, dass sie im Einklang mit den höchsten schöpferischen Kräften sind.

Zauberfedern

Mein Wesen ist feurig. Mit meinen Flügeln entfessele ich mächtige Kräfte, entfache ich Stürme und Blitze und balle die Wolken zusammen. Mein Flügelschlag ist der Donner. Hörst du es grollen, so bin ich nicht weit.

Weitere Bedeutungen

- Entfesselung mächtiger Kräfte
- Ausgleich und Harmonie
- neue Energie entfachen
- negative Kollektivfelder auflösen
- Meisterung der Feuerkraft

Affirmation

»Ich lebe das Licht aus dem Zentrum meines Herzens und erkenne das Feuer der Seele an, das in jedem lebendigen Geschöpf brennt. Ich bin göttlich geführt.«

Drossel

Potenzialentfaltung

Bedeutung der Karte

Mit der Drossel fliegt die Aufforderung in dein Leben, deine Potenziale stärker zu sehen und diese auch zu nutzen. Lasse deine Lebensfreude zu, und du spürst gleich den Zugewinn an Kreativität und Ideen. Als Singvogel zeigt dir die Drossel, wie du Aufmerksamkeit auf dich ziehen kannst, ohne überheblich zu sein. Sei dir gewiss, dass alle Kraft des Ausdrucks aus einer lebendigen Innenwelt kommt. Die Drossel ist äußerst gesellig und eine sehr gute Unterhalterin, die immer etwas Wichtiges mitzuteilen hat.

Zauberfedern

Mit meinem farbarmen Federkleid wirke ich auf den ersten Blick unscheinbar. Doch lasse dich nicht von meiner Optik täuschen. In verschiedenen Braun- und Grautönen fliege ich in dein Leben. Mein geflecktes oder gepunktetes Brustgefieder macht dich auf meine kecke, kreative und lebensfrohe Seite aufmerksam. Lasse dich davon mitnehmen. Die Magie meiner Federn verleiht dir die Fähigkeit, hinter die Dinge zu blicken und dich nicht von Äußerlichkeiten blenden zu lassen. Auch stecken in ihnen die Kraft der Tarnung und die Gabe der klaren Unterscheidung.

Weitere Bedeutungen

- Persönliches Wachstum beginnt mit einem kraftvollen Selbstausdruck.
- bedingungslose Akzeptanz
- Erhebe deine Stimme.
- Nutze die Magie der unsichtbaren Welten.
- Lasse dich von kraftvoller Energie fluten für neue Abenteuer und Lebenserfahrungen.
- Bote des Aufbruchs
- Bleibe während des Wandels geerdet.

Affirmation

»Ich gehe optimistisch, in all meiner Vielfältigkeit, fröhlich singend durch die Zeit des Wandels.«

Ei

Fruchtbarkeit, neues Leben

Bedeutung der Karte

Das Ei steht für Fruchtbarkeit, neue Ideen und das Energiefeld des Menschen, die Aura. Es lehrt dich, deine Aura von innen heraus zu heilen, indem du alle dämonischen Kräfte austreibst und alle destruktiven Muster auflöst. So lange, bis dein eiförmiges Energiefeld um dich herum in allen Regenbogenfarben strahlt, funkelt und leuchtet und du deine Gestaltungskraft entfalten und leben kannst. Visualisiere goldenes oder weißes Licht, um deine Aura zu stärken. Nutze deine Schöpferkraft für dich und andere.

Magische Aspekte

Ich möchte dich an deine einzigartigen Gaben erinnern, die dir bei deiner Geburt mitgegeben wurden. Voller Sanftmut begleite ich dich dabei, deine Talente der Welt zu zeigen, um Neues zu gebären. Empfange, bewahre und nähre deine Vision, indem du mich wie deinen Augapfel hütest. Alles erneuert sich. Wenn die Zeit reif ist, erlebe das Wunder der (Neu-/Wieder-)Geburt und die Rückkehr deiner Kraft. Du bist göttliche Kraft in Tätigkeit.

Weitere Bedeutungen

- Ursprung, Fruchtbarkeit und neues Leben
- Potenzial und Kraft
- Bejahung des Lebens
- Ei als Ursprung der Welt
- Ostersymbol für die Auferstehung

Affirmation

»Ich nehme meine einzigartigen Gaben an und zeige sie der Welt, um ein neues Werden zu erschaffen zum Wohle des Gesamten.«

Eichelhäher

Energieausgleich,
Energieerhöhung

Bedeutung der Karte

Ein machtvoller Schamanenvogel steht an deiner Seite. Der Eichelhäher ist ein Hüter des Waldes. Mit seiner hervorragenden Beobachtungsgabe wacht er über diesen, kennt jeden Bewohner und ist vertraut mit allen Wesenheiten der Anderswelt, die im Wald leben und mit dir verbunden sind: den Waldfeen, Elfen, Zwergen, Faunen, Walddrachen, Waldwichteln und vielen mehr. Er erkennt jede Täuschung und deckt sie auf, und er ermutigt dich, froh und glücklich über jede »Ent-täuschung« zu sein. Jetzt kannst du deinen Weg korrigieren.

Mit dem Eichelhäher kommst du in Kontakt mit der Magie der Töne und Schwingungen. Die Schwingungen deiner Worte bauen dein Energiefeld auf. Achte auf ein reines Energiefeld. Erlaube dir immer wieder, alles Unreine aus deinem Feld zu entfernen, indem du klare, kraftvolle und liebevolle Worte wählst.

Zauberfedern
Farbenprächtig zeigt sich mein Gefieder. Ich bin ein Meister der Elemente. Mein Schwarz steht für das Element Erde, für den Norden und den Nordwind, mein Weiß steht für das Element Luft, für den Osten und den Ostwind, mein Rot steht für das Element Feuer, für den Süden und den Südwind, mein Blau steht für das Element Wasser, für den Westen und den Westwind. Ein Glückspilz ist, wer eine meiner schillernden Flügelfedern findet.

Weitere Bedeutungen
- Gleiche die Energien in dir aus.
- Energetisches Arbeiten und Heilanwendungen sind jetzt besonders wirksam.
- Täuschungen und Unwahrheiten treten an die Oberfläche.
- Übernimm Verantwortung für dein Leben.
- Sei entschlossen!
- Schütze deine Grenzen!

Affirmation
»Ich bin in meiner ganzen Kraft und lebe die Magie meiner Seelenschwingung vollumfänglich.«

Eisvogel

Glück

Bedeutung der Karte

Ein Bote – nicht von dieser Welt – wurde in dein Leben geschickt, um dich an deine höhere Führung sowie die Schönheit, Liebe und Fülle, die das Leben für dich bereithält, zu erinnern. Um noch tiefer vorzudringen, fordert der Eisvogel dich auf, in die Stille zu gehen, zu meditieren und deine Vision zu finden. Nur aus der Ruhe heraus bist du in der Lage, klar zu erkennen, kannst du eine Verbindung zu deinem Höheren Selbst aufnehmen. Der Eisvogel hilft dir, deine Kraft zu entdecken und dein Feuer zu entfachen. Er erinnert dich daran, dass du die Gabe hast, deine Lebensumstände zu verändern und dich in Verbindung mit deinem Hohen Selbst mit deiner wahren Heimat zu verbinden. Frage dich: Warum bin ich hier? Was möchte ich verwirklichen?

Zauberfedern

Ich erscheine als schillerndes Wesen in Türkis und Orange. Lichtvoll strahlend kündet mein Gefieder von Glück und Wohlstand. Ich erhelle jeden Raum und zeige dir, wo deine Schätze wohnen. Ich ruhe mit gleichzeitiger äußerster Wachsamkeit in meinem schimmernden Federkleid. Meine Federn dienen dir als Glücksbringer und spiegeln deine Schönheit. Hast du mich einmal entdeckt, erinnere ich dich an die Treue und die ewige Liebe.

Weitere Bedeutungen

- Glücksbote
- Liebe und Frieden in turbulenten Zeiten
- Verbindung zum Hohen Selbst
- Gehe in die Stille, und halte Innenschau.
- Handle überlegt und zielgerichtet.
- Verbinde dich mit deinem Hohen Selbst, und lasse deine Visionen fließen.
- Erhelle die Welt mit deiner Schönheit und deinem Charisma.

Affirmation

»Ich nehme mein Glück selbst in die Hand und bleibe mir treu.«

Elster

Glückliche Partnerschaft

Bedeutung der Karte

Mit dieser Karte tritt das Glück in der Partnerschaft in dein Leben! Willst du es annehmen? Auch wenn leuchtende Verführungen aufblitzen, kehre zurück auf den rechten Weg. Sieh genau hin. Ihr habt beide Ja gesagt … doch wozu? Das Schwarz und das Weiß der Elster verraten es: die perfekte Balance in der Liebe. Es ist Zeit, innezuhalten, gemeinsam zu reflektieren und euch neu und stabil aufzustellen, sodass jeder von euch in Dankbarkeit, Frieden und Liebe gemeinsam oder für sich allein ein Feld aufbauen kann, im Plan einer neuen Zeit. Lebt eure Träume.

Zauberfedern

Mein schwarz-weißes Gefieder symbolisiert die polaren Kräfte, die es zu überwinden gilt. Außerdem steht es für Glück und Loyalität in der Partnerschaft. Wie das Yin-Yang-Symbol bringe ich Licht ins Dunkel. Ich bin seit jeher Botschafterin für Nachrichten aller Art: Leuchtet mein Gefieder weiß, so bringe ich frohe Kunde, ist das Schwarz dominant, so warne ich.

Weitere Bedeutungen

- Yin und Yang
- Versuchung des Lebens
- Zeit für neue Wege und Veränderungen
- Weiterentwicklung

Affirmation

»Ich bin dankbar, glücklich und vollkommen zufrieden im Hier und Jetzt.«

Ente

Kindliche Liebe

Bedeutung der Karte

Die Ente watschelt mit ihren bunten Federn in dein Leben, um dich an den Zauber und die Schönheit deiner Kindertage zu erinnern, an die Liebe vertrauter Personen, die dich gehalten und genährt haben, dich an die Hand nahmen, trösteten und führten. Aber auch an kindliche Verletzungen, Demütigungen und Ängste. Es ist Zeit, die alten Überzeugungen loszulassen und den wahren Glanz deiner Seele zum Vorschein zu bringen. Sieh das reine Licht deines Herzens, und frage dich: Was liebst du an dir selbst, was ist toll an dir? Lobe dich für alles, was du gemeistert und geschafft hast. Stehe auf, befreie dich, und gestalte dein Leben aktiv.

Zauberfedern

Mein Federkleid ist bunt und grau, wasserabweisend und wärmend und dient dir als Vorbild, wenn es darum geht, dein eigenes bunt schillerndes Sein zu entfalten, aber auch die Emotionen anderer einfach an dir abperlen zu lassen wie das Wasser von meinem Federkleid. Des Nachts halte ich dich zwischen meinem Gefieder warm und geborgen und trage dich sicher durch die Traumzeit.

Weitere Bedeutungen

- alte Muster, Überzeugungen und Glaubenssätze lösen
- Transformation
- vergeben und versöhnen
- an sich selbst glauben
- gemeinsames Spielen
- Freundschaft

Affirmation

»Ich vertraue auf mich selbst, ich glaube an mich, ich bin einzigartig und genial. Ich bin wundervoll, so, wie ich bin. Ich bin.«

Eule

*Magie und
Heilkraft der Erde*

Bedeutung der Karte

Huhuu! Der mächtige Ruf eines kraftvollen Tierverbündeten erreicht dein Herz. Spüre, wie der Klang der Eule dich augenblicklich ruhig werden lässt. Mit ihrem Licht öffnet sie dein Drittes Auge und erhellt die Schatten deiner Seele, wodurch du die heilenden Kräfte der Erde überall erblicken kannst. Lasse dich von der Eule führen: Bäume, wohlig duftende Harze, die heilenden Kräfte des Waldes, von Moosen, Baumölen, Wurzeln, Kräutern und vielem mehr, stellen deine Gesundheit wieder her.

Zauberfedern

Meine Federn tragen eine starke Medizin und finden viererlei Anwendung. Sie sind erdig, lichtvoll und dunkel. In ihnen wohnt die Kraft der Großen Göttin. Sie stehen für Intuition und das Mondlicht und schützen und führen Wanderer in der Nacht. Mit ihnen kannst du tief in die Dunkelheit blicken, die Schatten reinigen und Energiefelder klären. Ich mache das Unsichtbare sichtbar und übertrage Botschaften aus der Geistigen Welt. Nicht zufällig gelte ich als Gefährte der Magier, Priester, Heiler und Symbol der Anderswelt.

Weitere Bedeutungen

- Erdheilung
- Medizin der Erde
- Schattenarbeit
- Zugang zur Anderswelt
- Achte auf die Zeichen der Erde!
- Kraft der Bäume und Harze
- Neues aus sich heraus und im Einklang mit der Natur schaffen (Traumfänger, Seifen, Bäder mit ätherischen Baumölen …)

Affirmation

»Ich reinige mich und achte die Zeichen der Erde, der Spirits und der Geistigen Welt. Segen strömt unaufhörlich.«

Falke

Träger des Lichtes

Bedeutung der Karte

Todesmutig stürzt sich der Falke in dein Energiefeld hinein, um die Dämonen darin zu jagen. Das Dunkel scheut er dabei nicht. Geschickt und intelligent stellt er sich seinem Gegner. Sein Einsatz bringt die Wahrheit ans Licht und öffnet dir die Augen. Die Entscheidung über dein Vorgehen überlässt er dir. Er schenkt dir Hoffnung und viele neue Impulse. Dabei verbindet er dich mit den großen Kräften des Universums. Die goldenen Botschaften der Oberen Welt flüstert er dir zu und stattet dich so mit der perfekten inneren Führung in allen Angelegenheiten aus. Treu ist er an deiner Seite. Seine impulsive Wendigkeit und seine Wachheit geben dir einen sicheren Überblick über deine Situation. Nutze diesen Weitblick, und handle aktiv, schnell und elegant wie der Falke. Er fordert dich auf, deinen Lebensfaden aufzunehmen, und hilft dir, diesen mit der Anderswelt zu verbinden. Höre seinen Ruf, dich aus Abhängigkeiten zu befreien und deine weiblichen und männlichen Anteile auszubalancieren.

Zauberfedern

Mein Falkengewand ist das alte Schamanengewand der Kelten und Germanen. Es wird auf der geistigen Ebene überreicht und bringt seinen Träger unsichtbar überallhin. Mit goldgelbem Flügelschlag verbinde ich altes Wissen aus Avalon mit dem Reich der Feen, die aus der Oberen Welt das Schicksal führen. Ein Falkenamulett kann dir ungeahntes Glück bringen und Wünsche erfüllen. Ich trage das goldene Lebenselixier und zeige dir den leichten Flug. Gegen den Wind stehend in der Luft, lehre ich dich Nervenstärke, Schnelligkeit und Leichtigkeit. Auf rotbraunen Schwingen können wir Seite an Seite fliegen. Raum und Zeit können gehen, dahinter erstreckt sich die unendliche Weite.

Weitere Bedeutungen

- Verschaffe dir einen Überblick über dein Leben.
- Dem Falken ist die Sonnenrune Sowilo zugeordnet.
- Wandlungskraft
- Nimm deine spirituelle Macht wieder zu dir.
- Lerne deine Fähigkeiten kennen, die weit über deine alltäglichen Kräfte hinausgehen.
- Führe das Schwert der Wahrheit im Licht der Sonne.
- Du bist auserwählt!

Affirmation

»Ich halte mein Energiefeld rein und erlaube mir, rasch, klar und zielgerichtet zu handeln.«

Feder

Botschaft aus dem geistigen Reich

Bedeutung der Karte
Erlaube es dir, leicht wie eine Feder zu sein, und gehe glücklich und beschwingt deinen Weg. Als Bote aus dem Jenseits bringt dir die Feder Licht auch in dunklen Zeiten und zeigt dir symbolisch, wie du dich über alle deine scheinbaren Hindernisse erhebst. Fällt dir eine Feder vor die Füße, kannst du dich fragen, welche Botschaft sie für dich bereithält. Überlege nicht, sondern vertraue deinen ersten Impulsen.

Magische Aspekte
Ich, die Feder, bin eine Brücke zur göttlichen Macht, zu deren Gnade und deren unendlicher Weisheit. Gleichzeitig verbinde ich das diesseitige mit den jenseitigen Reichen. Mit Leichtigkeit verteile ich den Segen der geistigen Reiche in alle Winkel der Erde. Oft auch in der Form von Schneeflocken wie sie uns Frau Holle bringt, wenn sie die Betten ausschüttelt.

Weitere Bedeutungen

- Die göttliche Treue ist dir gewiss.
- Botschaft aus der Geistigen Welt
- Zeichen eines Verstorbenen an dich
- Erinnerung an deine geistige Heimat
- Zeichen der Engel: »Ich bin bei dir.«
- Im ägyptischen Totenkult wurden das Leben und die Taten des Toten mit einer Feder aufgewogen.
- Ikarus wurde erst durch seine selbst gebastelten Schwingen frei, bevor er übermütig zu nah an die Sonne flog. Daher gilt bis heute: »Verbrenne dir nicht die Flügel.«

Affirmation

»Ich erhebe mich über all meine unbewussten Glaubenssätze und Handlungsmuster mit der Hilfe der göttlichen Wahrheit. In Leichtigkeit und voller Glückseligkeit gehe ich meinen Weg.«

Flamingo

Innere Ausrichtung

Bedeutung der Karte

Auf einem Bein stehend, lädt dich der Flamingo ein, dein Gleichgewicht zu finden und dieses ganz leicht zu halten. Dein Herzraum ist dein heiligster Raum. Aus ihm heraus gesprochen und handelnd, bist du stets gut geführt. Erlaube dir, ein Meister deiner Gedanken zu sein und alles in dir liebevoll auszubalancieren. Bist du bereit, dich zwischen Himmel und Erde auszurichten? Das Leben des Flamingos in friedlichen und großen Kolonien mit bedingungsloser Liebe und tiefer Achtung vor dem anderen kann als Vorbild für die neuen Gemeinschaften der Neuen Erde dienen.

Zauberfedern

Weithin strahlend und leuchtend bin ich sichtbar durch mein feines rosafarbenes, manchmal auch lachsfarben schimmerndes Federkleid und erinnere dich daran, gut auf dein eigenes zartes Seelenkostüm und das anderer achtzugeben. Ich liebe es, in einer großen Gemeinschaft ganz elegant auf einem Bein zu stehen, zeugt es doch von der großen Gabe der Innenschau und Meditation. Erkenne die Geschenke, die das Leben dir bietet!

Weitere Bedeutungen

- bedingungslose Liebe
- Ausgleich zwischen Yin und Yang
- Gehe deinen Weg mit Anmut.
- Spüre deine Stärke in deiner Zartheit.
- Bringe deine innere Schönheit nach außen.
- Überprüfe deine Zughörigkeit in Gemeinschaften mit deinem Herzen.
- Folge deiner Leidenschaft und deiner Inspiration.
- Bringe dein Leben in Balance.

Affirmation

»Ich gehe in innerer Harmonie meinen Weg der bedingungslosen Liebe.«

Gans

Treue, Zuverlässigkeit

Bedeutung der Karte

Eine Glücksbotin kommt in dein Leben gewatschelt und bringt dir den tiefen, wahren Blick für die Dinge. Taten zählen mehr als Worte. Betrachte die langfristigen Auswirkungen einer Angelegenheit, bevor du blind Impulsen von außen folgst. Verheißungsvolle Worte und Angebote sind verlockend, doch schaue hinter die Dinge. Lasse dir Zeit, prüfe, wäge ab, und erkenne die wahre Absicht. Bleibe dir treu, und folge bewährten Wegen. Feuer sind schnell entfacht, Verbindungen schnell aufgebaut, doch erst in der Beständigkeit im Alltag und in schwierigen Situationen zeigt sich, wer es wirklich ernst mit dir meint.

Zauberfedern

Als Begleiterin der großen dreifaltigen Göttin verbinde ich dich mit alter Weisheit und altem Wissen. Meine weißen Federn stehen für Jungfräulichkeit, meine bunten für Mutterschaft und meine schwarzen für das Alter. Des Nachts führen meine Lichtfedern dich sicher durch die Traumwelt. Auch hältst du dank ihrer Magie dein Heim und dein Seelenkleid rein.

Weitere Bedeutungen

- Blick in den inneren Spiegel
- Hüten deines inneren Feuers
- Fleiß, Disziplin, Ausdauer, Stabilität
- Kraft für die Umsetzung eines Ziels
- Hilfe aus dem geistigen Reich

Affirmation

»Die Wahrheit offenbart sich mir, indem ich mich mit der Weisheit des Kosmos verbinde. Ich sehe klar und deutlich. Mein inneres Feuer brennt und verleiht mir Kraft und Stärke. Das, was gut ist, wird sein. Ich lasse los, gebe ab und erwarte nur das Beste.«

Garuda

Unsterblichkeit, Segen, Glück

Bedeutung der Karte
Ein mystischer und unsterblicher Lichtbote aus der Oberen Welt erscheint in deinem Leben und fordert dich auf, eine höhere Perspektive einzunehmen, um festgefahrene Situationen zum Wohle aller segensvoll zu transformieren und deine Lebensaufgabe zu meistern. Widme dich aktiv deiner spirituellen Entwicklung. Erhebe dich, und finde deine eigene Anbindung zum schöpferischen Sein. Indem du dich mit lichtvollen Ebenen verbindest, erweckst du deinen inneren Meister/deine innere Meisterin und handelst aus ihm/ihr heraus.

Zauberfedern
Ich bin ein Beschützer und Lichtbringer, halb Vogel und halb Mensch. Auf meinen sonnengoldenen Schwingen trage ich dich in lichtvolle Welten.

Weitere Bedeutungen

- Botschaften aus höheren Welten
- Schutz und Führung von oben
- Heilung alter Wunden und Verstrickungen
- Auflösung von karmischen Bindungen und Verträgen

Affirmation

»Ich empfange die Botschaften aus höheren Welten und höre auf die Stimme meines Herzens. Ich vertraue auf die göttliche Führung und die segensreichen, himmlischen Kräfte.«

Henne & Hahn

Erneuerung, Vitalität

Bedeutung der Karte

Kommen Henne und Hahn in dein Leben, so möchte etwas ausgetrieben, gesehen und geheilt werden. Gackernd macht dich die Henne auf die Dämonen und Hungergeister in deinem Inneren aufmerksam. Hast du sie erkannt, so kannst du dein Inneres heilen, indem du aufhörst, die Außenwelt für deine Lage verantwortlich zu machen. Der Hahnenschrei weckt dich aus deinem Dämmerschlaf. Erkenne die Chancen des neuen Morgens. Übernimm die Verantwortung für dich und dein Leben, und beginne, dich aktiv einzusetzen für das, was dir wichtig ist.

Zauberfedern

Als Hahn fordere ich deinen männlichen, aktiven Part. Meine Federn tragen das Feuer in sich und bringen dir den Stab deiner Macht und die Kraft zur praktischen Umsetzung deiner Wünsche und Ideen. Ich zeige dir, wie du deine Kraft auf der Erde verankern kannst. Mit meinem Krähen kündige ich dir einen neuen Morgen

an und wecke dich aus deinem Schlaf. Wache auf, werde dir deiner selbst bewusst, und setze dich aktiv für dich und für das, was dir wichtig ist, ein.
Als Henne lehre ich dich, deine eigenen Ideen aus dir heraus zu gebären, sie zu hegen und zu pflegen und schließlich auszubrüten. Mit meinem besonderen Sinn für Licht und Temperatur bringe ich dir das Gespür für den richtigen Zeitpunkt, den richtigen Ort und die richtigen Worte im richtigen Moment. Durch meine Nahsichtigkeit fordere ich dich auf, dich in deiner Nähe umzuschauen, statt in die Ferne zu schweifen.

Weitere Bedeutungen

- Inventur deiner Seele
- Klärung negativer Gefühle, Bilder und Gedanken
- Aufbau Kraft spendender Gedanken und Bilder
- Vitalisierung deines Energiefeldes
- freundliche Haltung dir und anderen gegenüber
- mutiger Einsatz für eigene Interessen

Affirmation

»Mein Energiefeld wird von Tag zu Tag schöner, strahlender, kraftvoller und leuchtender. Ich danke für die neuen Chancen, die ich jeden Tag erhalte, und lasse mein Licht in die Welt strahlen.«

Ibis

Weisheit

Bedeutung der Karte

Mit dem Ibis schreitet ein Bote der alten Weisheit in dein Leben. Sein Erscheinen kündet von Neubeginn und einer neuen Weise, sich dem Leben zuzuwenden. Der Ibis schenkt dir Ausdauer, Gewissenhaftigkeit und die Anbindung an deine natürliche Intuition und Weisheit. In dir findest du alle Antworten. Wende dich nach innen, und lies die Zeichen der Natur im Außen. Auf diese Weise kannst du deine Energie aufbauen. Lerne, sie aufrechtzuerhalten. Das, was du aus deiner lebendigen Kraftquelle schöpfst, wird dir ganz neue Wege eröffnen.

Zauberfedern
Als Schreiber der Götter möchte ich dich ermutigen, dir bewusst Zeit zu nehmen und über dein Innerstes zu schreiben. Das Göttliche möchte sich durch dich in der Welt offenbaren. Du bist ein Mittler zwischen den Welten. Habe Mut, und teile der Welt deine Gedanken mit. Meine Federmagie öffnet dir den Zugang zum Buch der Weisheit, damit du darin lesen, tiefe Einsichten erhalten und neue Erkenntnisse gewinnen kannst.

Weitere Bedeutungen
- Innenschau
- innere Kraftreserven mobilisieren
- Überwindung von Hindernissen
- Neubeginn
- Bote und Schreiber der Götter

Affirmation
»Ich lebe nach der Weisheit meines Herzens.«

Kanarienvogel

Fröhlichkeit, Positivität

Bedeutung der Karte
Der Kanarienvogel bringt durch seine fröhliche Art Optimismus, Verspieltheit und Hoffnung in dein Leben. Solltest du gerade in einer Krise stecken oder falls dein Leben aus dem Gleichgewicht geraten ist, so sei dir gewiss, dass diese Zeit bald hinter dir liegen wird. Nimm dir Zeit für die Dinge, die du gern tust, aber auch für das, was du vermeintlich tun musst. Besinne dich bei all deinem Tun auf die Freude und Leichtigkeit im Leben. Sei mutig, und nutze die Kraft deiner Stimme.

Zauberfedern
Mit meinem leuchtenden Federkleid und meinem fröhlichen, lebhaften Zwitschern erhelle ich dir den Weg und zeige dir, wie du Kraft deiner Stimme unzählige Leben in der Welt verändern kannst, indem du den Mut aufbringst, dich zu Wort zu melden. Deine Stimme hat Gewicht und möchte gehört werden. Ich zaubere dir ein Lächeln ins Gesicht, damit auch du auf deine Weise die Stimmung anderer aufhellen kannst.

Weitere Bedeutungen

- Glück und Hoffnung
- Loslassen von Vergangenem
- Inneres zum Ausdruck bringen
- Geselligkeit und Kontaktfreude
- Fokus auf die positive Seite des Lebens

Affirmation

»Ich sehe in allem das Gute und konzentriere mich auf das, was mir wichtig ist. Ich erhebe meine Stimme und lasse mein Licht leuchten.«

Kolibri

Licht aus den höchsten Ebenen

Bedeutung der Karte

Klein, bunt und fein schwirrt der Kolibri in dein Leben. Seine schillernden Farben werfen ihr Licht aus höheren Dimensionen auf dich, um dich an deine Lichtheimat und all das, was noch möglich ist, zu erinnern. Jetzt ist die richtige Zeit, dich von wunderschönen und heilsamen Schwingungen durchströmen zu lassen und ganz neue Impulse zu empfangen. Der Kolibri lehrt dich, stets das Beste aus einer Situation zu machen. Er bringt dir die Medizin der Freude und des Ausgleichs und öffnet deine Augen für die Juwelen der Schöpfung.

Zauberfedern

Wie ein fliegendes Juwel schwirre ich durch die Lüfte. Meine Flügel leuchten magenta, hellgrün, orange und gold-weiß wie der Nektar des Himmels, und sie überstrahlen das Gefieder vieler anderer bunter Vögel. Funkelnd wie tausend farbenprächtige Edelsteine erinnere ich dich daran, Schönheit, Vielfalt und Harmonie zu leben. Ich bin ein Botschafter des Herzens. Rosa strahlend strömt mein Licht aus den höchsten Ebenen in dein Herz, aus einer Schönheit geboren, nicht von dieser Welt. Schnelle Lichtbewegungen drängen mit jedem Flügelschlag zu dir, reinigen dein Lichtfeld, laden es auf und erhöhen die Schwingung deines Lichtkörpers. Im Schwirrflug schlage ich eine liegende Acht nach der anderen und verweise damit auf das ewige Leben und die Vervollkommnung des Menschen. Ich verbinde dich mit dem Naturreich und dem Sternenwissen.

Weitere Bedeutungen

- neue Impulse
- Kinder der Neuen Zeit
- außerordentliche Fähigkeiten
- 5. Dimension
- Lichtkörper, Lichtgeschwindigkeit, Aufstieg
- Goldene Zeit

Affirmation

»Ich erinnere mich klar, warum ich hierhergekommen bin. Ich trage die Liebe und das Licht der neuen Goldenen Zeit in mir. Es führt mich.«

Kormoran

Urteilsfreie Liebe

Bedeutung der Karte

Die Zeit ist reif für neue Gemeinschaften und ein neues Miteinander. Der Kormoran lehrt dich gegenseitige Akzeptanz und Wertfreiheit. Entdecke die versteckten Gemeinsamkeiten, und ehre sie. Wir alle wollen in unserem Potenzial gesehen werden. Beginne bei dir, und feiere in jeder Begegnung das wahre Menschsein. Tauche ein ins tiefste Sein, an den Ort, an dem das Göttliche durch die Kraft der Schöpfung ins Menschliche übergeht.

Zauberfedern

Mit meinem dunklen bis schwarzen Gefieder falle ich auf. Von der Sonne beschienen, schimmern meine Federn grün- bis bläulich und offenbaren Hoffnung, Schutz, Kraft, Heilung und innere Führung. Wenn ich meine großen Schwingen ausbreite, strahlen meine Flügel bronzefarben. Mit ihnen dringe ich tief in die Gewässer der Seele. Ich bin ein hervorragender Seelenführer und an deiner Seite, wenn es um das Erlösen von Schatten geht. Erscheine ich dir im Traum, bringe ich Kunde deiner Ahnen oder kürzlich Verstorbener oder kündige eine schicksalhafte Wende an.

Weitere Bedeutungen

- Der Kormoran bringt dem Seefahrer Glück und einen guten Fang.
- Geister der verstorbenen Geliebten
- Die Natur unserer Seele ist freudig, liebend, akzeptierend, segnend und dankend.
- urteilsfreie Liebe zu allen Menschen
- Geselligkeit
- Die Zeit der Einsamkeit ist vorbei!

Affirmation

»Meine urteilsfreie Liebe gedeiht in der Akzeptanz gegenüber anderen.«

Krähe

Bestens informiert –
woher auch immer

Bedeutung der Karte

Die Krähen fliegen durch den Wald, den neusten Tratsch erfährst du schon bald. Die Krähe ist eine Botschafterin der Großen Göttin. Hast du diese Karte gezogen, kommen Botschaften unverfroren angeflogen. Die Krähe löst alle Schleier auf, bringt dir Klarheit und Wahrheit. Sei wachsam! Erkenne die Zeichen, die dich erreichen, und vertraue deiner inneren Führung. Dann sind neue Erkenntnisse und Lösungen möglich.

Zauberfedern

Meine schwarzen Federn sind mit der ganzen Welt, ja, mit dem Universum verbunden. Ihr zartes rosafarbenes und violettes Licht zeugt von ihrer hohen Magie. Auch du bist ein Kind des Universums, die Weisheit ist dir jederzeit zugänglich. Ich befreie dich von Begrenzungen und lüfte jegliche Schleier. Meine Federn stehen für verborgene Geheimnisse, sie öffnen den Blick für das Verborgene, machen Unsichtbares sichtbar.

Ich bin eine Botin der Nebelwelt und webe die zarten Schicksalsfäden. Hexen und Magier nutzen die Magie meiner Federn gern, um Feinden Warnungen zu senden.

Weitere Bedeutungen

- Information
- rechte Seite, die Welt betreffend – linke Seite für dich
- Krähenfedermagie
- Netzwerker
- Verbundenheit, Einheit
- fröhlicher Wald, Klatsch und Tratsch
- pure, heilsame, magische Energie

Affirmation

»Es gibt nichts zu tun. Da zu sein, reicht völlig aus. Der Wind trägt mir alles zu, was ich für heute wissen muss.«

Kranich

Konzentration, Wachsamkeit

Bedeutung der Karte
Auf einem Bein stehend, in völliger Balance erinnert dich der Kranich daran, auf dein inneres Gleichgewicht zu achten. Er schenkt dir die notwendige Distanz zu den Ereignissen in deinem Leben. Tief in dir weißt du um die Kräfte und Fähigkeiten, die in dir wohnen. Sie lassen dich große Höhen erreichen, weite Strecken zurücklegen, neues Wissen sammeln und eine neue Stufe der Bewusstheit erlangen. Sammle dich, konzentriere dich am Weiher deiner Seele, und betritt einen neuen Ring der Kraft.

Zauberfedern
Als Vogel des Wassers verbinde ich die Elemente Luft und Wasser und verleihe dir Intuition, Mitgefühl und die Fähigkeit, das, was wirkt, in Worten auszudrücken. Ich zeige dir das, was möglich wäre, auf diese Weise erhältst du Gelegenheit, die Tür zu einer höheren Ebene zu öffnen. Meine Glücksfedern bringen Gerechtigkeit und Ausgleich und sind mit dem geheimen Wissen der

Druiden verbunden. Siehst du mich tanzend, so weihe ich dich in die Lebensmysterien ein.

Weitere Bedeutungen

- meditative, konzentrierte Geisteshaltung
- Innenschau
- Wissen und Weisheit aus dem Dunkel der Zeit
- Einweihung in die Lebensmysterien
- Wissen der Oberen Welt
- innere Führung und Instinkt für den richtigen Weg

Affirmation

»Ich finde jetzt die richtige Spannung in meinem Leben, alles kommt ins Gleichgewicht. Ich bin eins mit der Welt und tanze mit den Kräften des Universums.«

Kuckuck

Erkenntnis

Bedeutung der Karte

Scheu fliegt der Kuckuck in dein Leben. Sein lauter Ruf ist Warnung und Chance zugleich. Mache dich bereit, deine Lebenssituationen zu überprüfen. Stimmt dein Weg noch mit deinem Seelenweg überein? Mache nichts, wozu du nicht vollumfänglich Ja sagst. Betrachte ehrlich deine Motivation, und wähle aufrichtig und weise deinen Weg.

Zauberfedern

Meine Federn gleichen einem Sternschnuppenkleid, ich bin ein Bote des Glücks. Die Nähe der Menschen meide ich und rate auch dir zu Tarnung und Wachsamkeit. Meine Eier sind ein Sinnbild für Täuschung durch andere Menschen. Hüte dich vor blindem Vertrauen!

Weitere Bedeutungen

- Überprüfung all deiner Lebensumstände
- Wähle mit Bedacht!
- Innenschau
- Herzhören und Intuition
- Dein Erkenntnisprozess beginnt.
- Übernimm Verantwortung für dich.
- Warnung vor Gefahr, Täuschung und Betrug

Affirmation

»Ich höre auf mein Herz und überprüfe immer wieder ehrlich meine Motivation. Ich bleibe mir selbst treu.«

Meise

Spielerische Leichtigkeit

Bedeutung der Karte

Energisch und keinesfalls schüchtern macht dich dieses zarte und zerbrechlich wirkende Vögelchen auf deine Lebensfreude aufmerksam. Flatternd, hüpfend, schaukelnd und auch mal kopfüber hängend weckt die Meise deine eigene Verspieltheit. Sie lässt nie ab von ihrer Freude. Neugierig und immer bereit, Neues zu entdecken, folgt sie in aller Achtsamkeit ihren Impulsen in freudiger Beschwingtheit, ohne sich ständig Sorgen zu machen oder sich zu ängstigen. Sie genießt die Leichtigkeit des Seins. Die Begegnung mit diesem kleinen Freudebringer kann dich aus deiner Lebenserstarrung lösen, wenn du dich auf die Freude der Meise einlässt. Auf der Suche nach spannenden Abenteuern ist sie immer in Bewegung. Lasse dich inspirieren von ihrer Aufgeschlossenheit dem Leben gegenüber, und erlaube dir, dich wieder an deine längst vergessenen Träume und Wünsche aus deinen Kindertagen zu erinnern.

Zauberfedern
Fröhlich und voller Lebendigkeit hüpfe und fliege ich mit meinem gelben Federkleid in dein Leben. Ich kündige die Wiederkehr der Sonne an und trage dich über jedes Stimmungstief hinweg. Du siehst meine Flügel selten ruhen, da mein Wesen überall die Freude hineinschwingen möchte. Bist du bereit, die Freude in dein Leben einzuladen?

Weitere Bedeutungen

- Inneres Kind
- Freude und Verspieltheit
- Sei neugierig, und probiere Neues aus!
- Betrachte dein Leben aus einer anderen Perspektive.
- Brich aus der Routine deines Alltags aus.
- Erinnere dich an deine Träume, und lege los.

Affirmation
»Egal, durch welche Situationen ich gerade gehe, ich verbinde mich jetzt mit meiner Lebensfreude in spielerischer Leichtigkeit.«

Milan

Weitblick

Bedeutung der Karte

Ein akrobatischer und großer Greifvogel fliegt in dein Feld. Mit ihm kommt die Fähigkeit, die Dinge von oben zu durchschauen. Auch bringt er Gelassenheit mit. Verschaffe dir einen genauen Überblick, bevor du handelst. Sei bereit, eine übergeordnete Perspektive einzunehmen. Erlaube dir, eine Situation von mehreren Seiten zu betrachten. Fliege dazu ruhig höher und höher, doch komme immer wieder auf die Erde, zurück in die Gemeinschaft.

Zauberfedern

Ich bin ein akrobatischer Flieger, über meine spektakulären Flüge können andere nur staunen. Gut zu erkennen bin ich an meinem tief gegabelten Schwanz und meinem rostfarbenen Gefieder. Ich bin ein Schamanenvogel und gewähre dir Einblick in übergeordnete Zusammenhänge. Meine weit ausgespannten Flügel sind wie weiße Fenster in andere Welten und zeugen von meiner Gabe des Zweiten Gesichts.

Weitere Bedeutungen

- Integriere den Tod, um wirklich zu leben.
- Überwinde deine Grenzen.
- Gönne dir immer wieder Ruhepausen.
- Lasse Altes sterben, damit Neues entstehen kann.
- Meister der Transformation
- Erinnere dich an deine Selbstliebe.

Affirmation

»Ich erhebe mich über mich selbst, verbinde mich mit dem geistigen Reich und bleibe dabei fest verankert auf der Erde.«

Möwe

Beständiger Lebensfluss, Führung

Bedeutung der Karte

Eine Meisterin der Lüfte und des Wassers kommt in dein Leben geflogen, um dich wieder an deinen ureigenen Rhythmus zu erinnern. Mit der Möwe an der Seite kommst du in Kontakt mit der weiblichen Urenergie und der Kraft des Mondes. Mit ihr lernst du, dich wieder in die Gezeiten deines Lebens einzufinden, tauchst tief in den Geist des Wassers und in den Geist der Luft ein. Durchdringe alle deine Gefühle, und schwinge dich gleichzeitig in luftige Höhen auf, um dich mit dem Geist deiner Spirits zu verbinden. Gerade wenn dich deine Lebensumstände scheinbar in die Knie zwingen wollen, lässt dich die Möwe tief erkennen: ALLES geschieht zu deiner Zeit. Bleibe in der Verbundenheit, und vertraue dem Fluss des Lebens.

Zauberfedern

Schon von Weitem ist mein Kreischen zu hören, noch bevor mein weißes Federgewand leuchtend am Himmel auftaucht. Mit ausladendem Flügelschlag erinnere ich dich an deine eigene Weite, trage dich hoch in geistige Gefilde und schenke dir Zugang zur ewigen Quelle. In mühsamen Momenten verkünde ich die frohe Botschaft vom Land in Sicht. Bleibe Flügelschlag für Flügelschlag fokussiert – bis zu deinem Ziel.

Weitere Bedeutungen

- In der griechischen Mythologie ist die Möwe der Aphrodite geweiht.
- Seefahrern weist sie den Weg in den Hafen.
- Sterbenden Seefahrern ist sie Hoffnungsträgerin – ein Engel im weißen Federgewand.
- Um dich selbst zu erkennen, brauchst du die Gesellschaft anderer.
- Bist du im Rhythmus deines Lebens angekommen?
- Seelenführer durch alle Zeiten des Lebens
- Mische dich nicht ungefragt in die Angelegenheiten anderer ein.
- Finde deinen Platz in der Gemeinschaft.
- Hüte dich vor unangebrachtem Streit.

Affirmation

»Verbunden mit meinen Spirits wende ich mich voller Freude und Vertrauen meinem ureigenen Lebensrhythmus zu.«

Nachtigall

Seelengesang

Bedeutung der Karte

Der betörende Gesang der Nachtigall durchdringt die Stille der Nacht und weckt die Bedürfnisse deiner Seele. Welche Wünsche schlummern unvernommen in dir? Ihr Lied kündet Trost an, kann dich in Liebeszauber versetzen, eine Liebe erneuern und Heilung einläuten. Doch singt sie auch von der Vergänglichkeit des Lebens und der Liebe. Sanft begleitet sie mit ihrem Seelengesang die Übergänge des Lebens. Friedvoll und wissend ist sie an deiner Seite und erinnert dich an deinen ureigenen Seelenklang, bis du diesen selbst wieder anstimmen kannst. Ihre Liebe ist bedingungslos und grenzenlos. Sei bereit, dich deiner eigenen tiefen Liebe zu öffnen.

Zauberfedern

Ungesehen durchstreife ich Laubwälder, Hecken und Unterholz. Mein kastanienbraunes Gefieder, das für Geborgenheit und Herzensliebe steht, tarnt mich dabei wundervoll, und meine Schwanzfedern dienen mir als perfekter Tastsinn. So navigiere ich mich geschickt durch das Unterholz. Ich bin die Königin der Nacht und eine Botin der Liebe. Meine Wunderfedern öffnen dich für den Zauber der Natur und der Mysterien. Mein reiner Gesang ist ein gutes Omen und steht für den Ruf eines geliebten Menschen oder für verborgene Liebe. Er ist Wunder wirkend, Herz öffnend und offenbart dir die Klänge der Schöpfung und das Lied deiner Seele. Triff mich in der Lyrik, in Märchen und Geschichten, und ich singe dir mein zartes Liebeslied.

Weitere Bedeutungen

- Gute Nachrichten sind zu erwarten.
- neuen Schwung ins Leben bringen
- starke Verbindung zu Herz und Seele
- Vitalität und Lebensfreude
- Die Nachtigall kündet von einer romantischen Zeit.
- sanfter und wohlgesinnter Begleiter für den Übergang

Affirmation

»Friedvoll stehe ich hier, höre den Klang meiner Seele und folge dem sanften Ruf meines Herzens.«

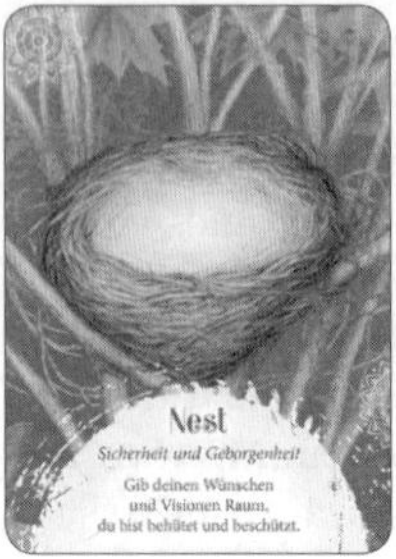

Nest

Sicherheit und Geborgenheit

Bedeutung der Karte
Mit dem Nest treten verborgene Wünsche wieder in dein Bewusstsein. Frage dich: Gibst du dir selbst genügend Schutz, Sicherheit und Geborgenheit? Bist du bereit, dein eigenes Wesen zu hüten? Gibst du dir die Möglichkeit, in deiner Zeit zu wachsen und dir die nötige Nestwärme – auch nachträglich noch – selbst zu schenken?

Magische Aspekte
Wie gestaltest du dein Nest? Es gibt allerlei Baukünste. Hast du die passende Bauart und Form für dich schon gewählt? Liebst du die Erdnähe, vielleicht sogar die seltene Form des Erdlochs? Oder baust du lieber in luftiger Höhe, vielleicht sogar auf Felsvorsprüngen? Bleibst du lieber in einer Kolonie, oder bevorzugst du einen Einzelstandort? Welche Materialien verwendest du am liebsten? Erlaube, dich ganz selbst auszudrücken und deine beste Form zu wählen, so kannst du in deiner Zeit im Schutz deines Nestes reifen.

Weitere Bedeutungen

- Erfreuliche Situationen kündigen sich an.
- Glückliche Fügungen stehen bevor.
- Vogelnest mit Eiern: Dir wird eine Erbschaft hinterlassen, oder Kindersegen stellt sich ein.
- Leeres Vogelnest: Ein neuer Lebensabschnitt beginnt.
- Vogelnest am Dach: Schutz für das Haus.
- Dein Vorhaben glückt.

Affirmation

»Ich biete mir selbst den Schutz, die Sicherheit und die Geborgenheit, die ich für mein Wachstum benötige. Ich bin bereit für mich selbst – für meine persönliche Nestwärme.«

Papagei

Kommunikation

Bedeutung der Karte
Der Papagei verleiht dir die Fähigkeit, mit deiner Umwelt in Kontakt zu treten, von ihr durch Nachahmung zu lernen und so andere Lebensformen zu verstehen und dich mit ihnen auszutauschen. Er stärkt dein Vertrauen in diesen Austausch, schenkt dir Wissen, Weisheit und Mitgefühl, versieht dich mit der Gabe der Empathie und verhilft dir so zu neuen, ungeahnten Fähigkeiten. Lausche aufmerksam den Zwischentönen in deiner Umwelt, und löse durch humorvolle Kommunikation auch die schwierigsten Probleme.

Zauberfedern
Mit meinem bunten Gefieder bringe ich Farbe in dein Leben und ermutige dich, das zu akzeptieren, was ist, und dich dem Augenblick zu öffnen. Erinnere dich an die außergewöhnlich leuchtenden Farben deines eigenen Seelenkleids. Das, was du sagst, will beachtet, erkannt und neugestaltet werden. Feiere das Leben und

die Freude im fröhlichen Austausch mit deiner Umwelt. Du bist geliebt und gern gesehen.

Weitere Bedeutungen

- lebhafter Austausch mit anderen
- neue, humorvolle Wege der Kommunikation
- lernen durch Nachahmung
- Leuchtkraft der Seele
- Charisma aufbauen

Affirmation

»Ich bringe die Farben meiner Seele zum Leuchten, indem ich mich dem Leben, meiner inneren Führung und der Liebe zu allem Sein öffne.«

Paradiesvogel

Höheres Selbst, Berufung

Bedeutung der Karte

Der Paradiesvogel erscheint anmutig in deinem Leben und unterstützt dich auf deiner Suche nach spiritueller Weisheit. Er schenkt dir kompromisslose Klarheit, die deinem Erwachen dient. Solltest du das Gefühl haben, ein belangloses oder langweiliges Leben zu führen, so wird sich dies auf unerwartete und aufregende Weise ändern. Erhöhe deine Schwingung, und lasse dein Höheres Selbst durch dich wirken. Deine Berufung wartet auf dich.

Zauberfedern

Aus den Lichtregionen der obersten Gefilde komme ich zu dir. Mein prachtvolles, schillerndes Gefieder steht für die bunte Vielfalt, die unendlichen Möglichkeiten im Kaleidoskop der Schöpfung. So wie ich bist auch du ein Geschenk Gottes und des Himmels. Wagst du es, deine wahre Größe anzunehmen? Ich fordere dich auf, groß zu denken, zu träumen und zu leben. Suche die Gesellschaft von Menschen, die das Gleiche tun wie du und gern ihre Fähigkeiten zeigen. Mein bezauberndes Balzritual möchte dich animieren, deinen individuellen Lebenstanz zu finden – allein oder in der Gemeinschaft. Nimm dein strahlendes Licht vollkommen an, und erleuchte damit die Welt.

Weitere Bedeutungen

- Offenbarung der Natur deiner Seele
- Befreiung aus alten Strukturen
- Spaß an alltäglichen Angelegenheiten
- Ehrlichkeit im Umgang mit anderen
- sorgenfreie, glückliche Zeit
- neue Chancen im Leben

Affirmation

»Ich nehme mein strahlendes Licht in all seinen Facetten an und tanze vollständig erwacht in meinem Leben. Indem ich meiner Berufung folge, bin ich eine Inspiration für andere.«

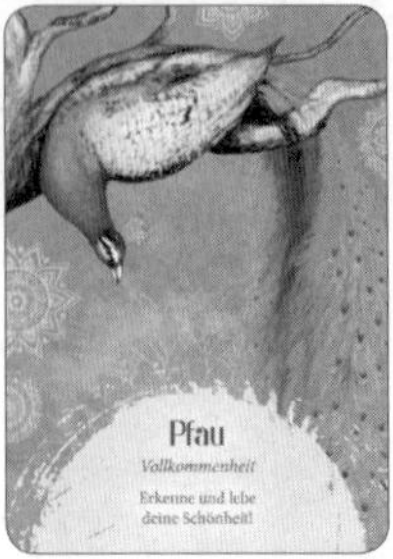

Pfau

Vollkommenheit

Bedeutung der Karte

Die Verkörperung des Paradieses stolziert in dein Leben. Zeige deine ureigene Schönheit auch im Außen. Nimm dich vollumfänglich an, niemandem dienen deine Schuld und deine Scham. Präsentiere dich in deiner vollen Würde und Vollkommenheit. Die Zeit ist reif für das Paradies auf Erden. Bringe würdevoll den Spirit der Neuen Erde an deinen Platz. Der Pfau verleiht dir Charisma. Sei dir dieser Energie bewusst, und schenke sie der Welt.

Zauberfedern

Mein leuchtend blaues Federgewand strahlt Schönheit in die Welt. Wie eine königliche Schleppe ziehe ich meine prachtvollen langen Schwanzfedern hinter mir her und zeige dir, wie du dein eigenes Seelenkleid entfalten kannst. Wenn ich mein Rad schlage, blicken die Augen auf meinen Schwanzfedern in alle Richtungen. Deinen Blick jedoch lenke ich geradewegs in die Sternenwelt und geistigen Reiche. Tanzend erinnere ich dich an die Zyklen des Lebens. In meinem Wesen vereine ich Gegensätze: Meine zarte, jedoch ausdrucksstarke Federkrone trage ich voller Stolz und helfe dir dabei, dich von Eitelkeit und Hochmut zu befreien. Ich bin ein Kunstwerk der Natur und mir bewusst, dass ich meine Umgebung mit meiner Schönheit verzaubere.

Weitere Bedeutungen

- Bote der Götter
- Symbol für Macht und Schönheit
- Kuan Yin, die Göttin des Mitgefühls, steht in Verbindung mit dem Pfau.
- Shiva, Ganesha und Saraswati reiten auf dem Pfau.
- Im Auge der Pfauenfeder spiegelt sich das Auge Gottes, das Auge des Herzens.
- Lebe die dir von Gott gegebene Schönheit.
- Auferstehung, ewige Treue und Unendlichkeit

Affirmation

»Ich entfalte mein Rad der Schönheit vollumfänglich und in meinem Rhythmus.«

Phönix

Erneuerung, Auferstehung

Bedeutung der Karte

Gleitet der leuchtende Phönix in dein Leben, so steht eine grundlegende Wandlung bevor. Du bist aufgerufen, alte Gewohnheiten und Umstände in Liebe loszulassen. Übergib alles, was nicht deinem höchsten Wohle dient, der transformierenden Flamme deines Herzens, um Raum für die höchste Version deines Selbst zu schaffen. Begrüße die Veränderung, die deinem Wachstum und der Erneuerung deiner vitalen Lebenskräfte dient.

Zauberfedern

Mein leuchtendes Feuerkleid birgt die Sonnenkraft des Himmels und die Lebensenergie der Erde. Meine Flügel verkörpern den Wind und mein Schweif die Pflanzenwelt. Ich bin ein Zauber- und Mischwesen mit vielen magischen Kräften. Meine größte Zauberkraft aber liegt in meinen Tränen. Sie heilen blitzartig alte Wunden, erwecken die Lebensgeister, offenbaren Wahrheit und wenden alles zum Guten.

Weitere Bedeutungen

- Handeln in Liebe, Wahrheit und Frieden
- Kraft der Wandlung
- Lebensenergie der Erde
- Sonnenkraft des Himmels
- lichtvolle magische Eigenschaften

Affirmation

»Die Kraft der Wandlung heilt jetzt alles in mir. Wie ein Phönix aus der Asche erstrahle ich neu im Licht der Sonne.«

Pinguine

Kollegialität, Treue

Bedeutung der Karte

Wenn du diese Karte ziehst, so geht es um dein Auftreten und Benehmen anderen gegenüber. Der Pinguin lehrt dich, dafür zu sorgen, dass genügend Wärme in deinem Leben ist, und nicht anderen Menschen dein Schicksal aufzubürden. Der Pinguin ist ein wahrer Teamplayer, er lenkt deinen Blick auf Kollegialität und stärkt deinen Teamgeist. Es geht für dich jetzt nicht darum, als Einzelner das Ganze zu tragen, sondern darum, deine Aufgabe und Rolle in der Gemeinschaft zu finden und einzunehmen. Dafür ist es wichtig, freundlich, friedfertig und respektvoll miteinander umzugehen, die Kommunikation zu suchen, Lob und Anerkennung zu schenken und das große Ganze zu sehen.

Zauberfedern
Mein Gefieder, das wie ein Frack anmutet, zeigt dir auf eine vornehme und humorvolle Art, dich durch das Leben zu bewegen. Mein Watschelgang folgt einem gleichmäßigen Rhythmus. Ich leihe dir mein Gefieder, um dich nach hinten zu schützen und nach vorn für dein Leben und deine Aufgaben zu öffnen. Ich verleihe dir die Gabe der Anpassung in der Gemeinschaft und das Gefühl für die richtige Distanz zueinander. Zudem lasse ich dich den richtigen Umgangston finden und führe dich in eine tiefe Verbundenheit mit deiner Familie und deinen Freunden.

Weitere Bedeutungen
- Sinn für Gemeinschaft
- würdevoller Umgang mit sich und anderen
- achtsamer Umgang mit Emotionen und Gefühlen
- hervorragende Intuition
- klarer Blick in dein Inneres
- gemeinsame Bewältigung schwieriger Zeiten
- aus Vorhandenem das Beste machen
- Teamgeist

Affirmation
»Ich öffne mich der Gemeinschaft und dem Teamgeist und gebe mein Bestes – zu meinem und zum Wohle aller.«

Rabe

Weisheit der Ahnen

Bedeutung der Karte

Wotan, der Gott der Nordens, der Polarlichter, der Weisheit und der Ahnen mit seinen Rabenbegleitern Munin und Hugin zeigt sich in deinem Leben. Als Grenzgänger zwischen den Welten fordert er dich auf, in dein Inneres zu blicken und neben deinem Licht – ganz bewusst und ohne sie zu beschönigen – die dunklen Seiten deines Lebens, deine Schatten, wahrzunehmen, damit sie ihre Macht verlieren, erlöst werden und verlorene Seelenanteile zurückkehren. Wenn du möchtest, bitte deine Ahnenlinien um Beistand. Indem du deine Schatten annimmst, wirst du auf magische Weise eine Transformation in deinem Leben erfahren. Selbst in der Dunkelheit wirst du das Licht erkennen und lernen, hinter die Dinge zu schauen, im Einklang mit den kosmischen Gesetzen zu handeln und zugleich dir selbst in allen Lebenslagen treu zu bleiben.

Zauberfedern

Meine Federn sind rabenschwarz und zeugen ebenso von lichtvollen Kräften wie von dunklen Geheimnissen. Ich zeige dir gleichermaßen die Licht- und die Schattenseiten, führe dich ins Dies- und ins Jenseits. Nichts entgeht meinem Blick. Das Licht meiner Federn ist das Polarlicht mit seinen hoch schwingenden Spektralfarben, die ab und zu um die Federn aufblitzen, um dich zu erinnern. Ich komme vom Nordstern, der für alle Völker der Leitstern ist, und rufe zum Aufbruch in die Neue Zeit.

Weitere Bedeutungen

- Nordstern
- Leitfedern
- Welt der lichtvollen Ahnen
- Ahnenbotschaften und Familie
- Sterbefälle, Geburten, Hochzeiten, Trennungen, Jubel und Trauer
- rechte Schulter – Weltenfamilie
- linke Schulter – Ahnen/Aumakua

Affirmation

»Ich lausche den Botschaften im Innen und Außen und nehme an, was auch immer das Leben mir bringen mag – im vollen Vertrauen, dass es meinem Wachstum und höchsten Wohle dient.«

Reiher

Energiebalance,
Yin und Yang

Bedeutung der Karte

Manifestiert sich der Reiher in deinem Leben, so geht es darum, in die Ruhe und einen nahezu meditativen Zustand zu gelangen. Stelle dir vor, du läufst an einem Fluss entlang. Plötzlich verändert sich der Ausdruck der Landschaft: Alles wird in ein ruhiges, majestätisches Licht getaucht. Da entdeckst du fast unscheinbar den Reiher, auf einem Bein im Wasser stehend, vollkommen ruhig und ausbalanciert. Spürst du die tiefe und vollkommene Harmonie, die in deine Seele strömt? Der Reiher lehrt dich Innenschau und intuitives Handeln. In der Ruhe liegt die Kraft. Fokussiere dich auf die stille Weisheit in dir.

Zauberfedern
Meine Federn tragen die Magie der tiefen Innenschau in sich. Sie sind luftdurchweht und wasserdurchtränkt. Wenn du sie vom Kopf bis in die Wurzeln ziehst, kannst du fühlen, wie die im Licht glitzernde Oberfläche des Wassers den Blick in die Tiefe freigibt und du immer mehr in einen friedlichen, ruhigen, balancierten Zustand gelangst.

Weitere Bedeutungen
- Stille
- Ruhe, tiefe Innenschau
- zu sich kommen
- verweilen
- majestätische Herrlichkeit

Affirmation
»Ich blicke in die Tiefe meines Seins. Stille und Frieden breiten sich aus und erfüllen die Atmosphäre mit Licht.«

Rotkehlchen

Helle Freude, Klang und Singen

Bedeutung der Karte

Das Rotkehlchen flattert in dein Leben und fordert dich auf, dein Herz für Freude und Glück zu öffnen. Mit seinen zauberhaften Gesellen trällert es im Walde fröhlich Melodien, um Liebe und Freude zu vermehren. Wenn du diese Karte gezogen hast, stimme ein in den munteren Chor. Lustig, heiter und freudig aus voller Kehle. Das Wandern ist …

Zauberfedern

Wunderschöne zarte rote Federn bedecken meinen Hals. Spüre, wie ihr Licht in dein Stimmzentrum hineinreicht und es mit Kraft auffüllt. Sprich, singe, oder erhebe deine Stimme. Erwecke deinen Klang voller Freude, und bringe das, was in dir schwingt, zum Ausdruck.

Weitere Bedeutungen

- Selbstausdruck
- Stimme erheben
- Gesang, Klang
- Lebensfreude

Affirmation

»Selbstausdruck ist Lebensfreude. Ich erhebe meine Stimme und zeige, was mein Herz zum Singen bringt.«

Schwalbe

Geistige Führung

Bedeutung der Karte

Ein Botschafter der Oberen Welt fliegt in dein Leben. Gib dich der Gnade deines erwachten Selbst hin. Erlaube dir, mithilfe der Schwalbe dein Herz zu öffnen und tiefer zu sehen, um dir wendig Neues zu erschließen. Lasse alle abgespaltenen Seelenanteile wieder bei dir in deiner irdischen Essenz ankommen. Fühle dich von deinen sozialen Gemeinschaften getragen. Gehe gemeinsam mit deiner Seelenfamilie neue Wege. Erlaube dir eine gute Vernetzung, die dich trägt und nährt. Deine Seelenkraft erhöht sich jetzt, und Hindernisse kannst du ganz leicht überwinden.

Zauberfedern

Elegant und schlank fliege ich aus hoher Höhe in dein Leben. Mein Gefieder glänzt metallisch blau-schwarz, und mein tief gegabelter langer Schwanz kündet mich schon aus weiter Ferne an. Das feine rahmweiße Federkleid an meinem Brust-Bauch-Bereich lässt mich nur noch schöner leuchten. Mit mir kannst du dich voller

Hoffnung wieder in die Lüfte schwingen und geschickt und elegant alles überblicken. Meine Glücksfeder steht für einen lieben Gruß aus der Ferne.

Weitere Bedeutungen

- Warnung vor Verrat
- Vogel der Madonna
- Heiliger Vogel der Göttin Venus
- Bote des Frühlings und des Glücks
- Ein Schwalbennest schützt das Haus vor Feuer und Blitz.
- Ein Schwalbennest im Stall schützt das Vieh vor Krankheiten.
- Symbol für Heimatverbundenheit
- Wachstum auf allen Ebenen steht an.

Affirmation

»In Verbundenheit mit meinem Hohen Selbst nehme ich die glücklichen Fügungen des Lebens an und gehe ganz leicht neue Wege. Ich bin bereit!«

Schwan

Licht und Schönheit

Bedeutung der Karte

Der Schwan schwimmt in dein Leben. Bei ihm kannst du verweilen. Auf dem Wasser, an Land und in der Luft wirkt er wie ein weit geöffnetes Lichtschiff, in das man sich gern hineinkuschelt, um zu träumen. Bei ihm bist du sicher. Mit ihm an deiner Seite können dir dunkle Kräfte nichts anhaben, denn der Schwan hütet dein Seelenlicht. Widme dich der Kunst, dem Tanz, der Poesie, der Musik und deinen Visionen und Träumen – sie alle führen dich auf den reinen Pfad deiner Seele zurück. Bedenke stets, dass auch in dunklen Schattenbereichen Schönheit verborgen liegt.

Zauberfedern

Meine Federn sind rein und sehr lichtvoll. Sie tragen die Luft, das Wasser und die Erde in sich. An ihnen perlt alles ab, was nicht Licht ist, und sie halten den Emotionalkörper rein. Auch sind sie die Federn der Schreiber, Schriftsteller und Lichtwelten. Die Göttin des Anmuts und der Schönheit Saraswati ist mit ihnen verbunden. In der Nacht tragen dich meine Daunenfedern durch die Licht- und Traumwelt. Lege eine von ihnen auf deinen Schreibtisch und unter dein Kopfkissen zur Stärkung der Visionskraft und Kreativität sowie für Klarträume.

Weitere Bedeutungen

- Ein Fächer aus Schwanenfedern klärt und durchlichtet das Energiefeld.
- Lasse dich von höheren Welten inspirieren.
- Sieh den Anmut und die Schönheit in allem.
- Schreibe einen Liebesbrief.

Affirmation

»Ich sehe die Schönheit in dieser Welt. Ich sehe Gott in mir und in dir. Wall aus Kristall, durchdringe mich, durchlichte mich, lasse nichts hinein als Licht allein. Wir müssen träumen, um zu verstehen.«

Spatz

Geselligkeit

Bedeutung der Karte

Austausch und Kommunikation mit Gleichgesinnten sind jetzt wichtig. Halte die Balance zwischen Wissensvermittlung und Gerede. Der Spatz ermahnt dich: Zerrede nichts! Suche die Geselligkeit, dann macht sich Lebensfreude breit. Er bringt eine große Antriebskraft und Freiheit mit sich. Freiheit von Konzepten, Bewertungen und Meinungen. Er geht mit dir durch die dunkle Nacht deiner Seele, um in aller Klarheit und lichtvoll Neues mit dir zu kreieren, und hilft dir, dich von alten Lasten zu befreien. Schon bald verspürst du eine tiefe Freude über neu entdeckte Fähigkeiten und öffnest dir selbst damit neue Türen. Trage die frohe Botschaft deines Wandels in die Welt.

Zauberfedern

Mit meinem aschgrauen und matt-bräunlichem Gefieder tauche ich flink und etwas unspektakulär auf. Fröhlich, in geselliger Gruppe nehme ich Kontakt auf und zwitschere dir meine Botschaft zu. Besonders markant sind meine dunklen Kehlkopffedern. Diese stehen für eine präzise Kommunikation.

Weitere Bedeutungen

- Der Spatz ist Begleiter von Dagr, dem germanischen Gott des Tages.
- Wissen durchströmt dich auch aus dem geistigen Raum.
- Austausch und Kontakt mit Gleichgesinnten
- Sei nicht geschwätzig!
- Antriebskraft »küsst« dich
- Der Spatz flüstert dir die »richtigen« Worte zu.

Affirmation

»Ich bin bereit, durch die dunkle Nacht meiner Seele zu wandeln, und mache Platz für Neues. Meine neue Kommunikation verändert mein Energiefeld und bringt mir Freiheit.«

Specht

Imagination, Innenschau

Bedeutung der Karte

Tock, tock, tock! Klopft der Specht bei dir an, so bringt er dir die Medizin der vitalen Lebensenergie, mit der du dein Leben aktiv gestalten kannst. Er sorgt für eine glückliche Wende. Aktive Gestaltung erfordert in erster Linie Vorstellungskraft. Stelle dir dein Leben so vor, wie du es dir wünschst – und dann beginne entsprechend zu handeln, während du gleichzeitig in der Liebe bleibst. Es ist Zeit, die Wege, die andere Menschen für dich vorbereitet haben, zu verlassen und dich auf deinen einzigartigen Pfad zu begeben. Setze dich für deine Angelegenheiten ein. Folge deinem Herzen. Alles ist bereits in dir.

Zauberfedern

In meinem wellenförmigen Flug führe ich dich durch den Wechsel der polaren Kräfte – hell und dunkel, Ebbe und Flut, männlich und weiblich. Ich fordere dich auf, deiner Intuition und dem Weg deines Herzens zu folgen, und lehre dich, deinen Lebensrhythmus zu erkennen und mit den Kräften zu gehen, statt gegen sie anzukämpfen. Meine Zauberfedern begleiten dich in die Traumwelt, in der deine Träume und Visionen entstehen. Sieh durch sie in deinen inneren Spiegel, und entdecke die lebendigen Quellen, die in dir wohnen. Ich helfe dir, dich aktiv aus alten Bindungen zu lösen, damit du frei wirst für dein Leben.

Weitere Bedeutungen

- Vorstellungskraft
- liebendes, fühlendes Herz
- aktive Gestaltung deines Lebens
- vitale Kraft im Inneren
- gesunder, lebendiger Ausdruck im Außen

Affirmation

»Ich folge meinem Herzschlag und verwirkliche meine Träume. Mein Herz führt mich zur Quelle eines erfüllten Lebens voller Liebe und Freude.«

Storch

Erneuerung, Wachstum, Reinheit

Bedeutung der Karte

Ein Reisender und Glücksbringer segelt in dein Leben. Seine Botschaft lautet: Erwarte immer das Beste. Mit seinem inneren Kompass weiß er genau, wo die Reise hingeht. Sei mutig! Der Storch ist immer an deiner Seite. Es geht nicht nur um äußere Veränderungen. Erlaube dir, dich mit dem reinen ALL-liebenden Feld zu verbinden. Berühre alles mit Liebe. Der Storch bringt dir Zuwachs an Herzensgüte und Herzentscheidungen. In Kürze wird dein äußeres Feld erblühen. Neue Menschen können jetzt dein Leben bereichern, und reiche Ernte steht dir auf allen Ebenen bevor.

Zauberfedern

Mein schwarz-weißes Gefieder leuchtet schon von Weitem und kündet seit jeher von der Verbindung der Gegensätze. Schwarz – weiß, hell – dunkel, gut – böse, männlich – weiblich. Sind meine Federn bei meiner Rückkehr von meiner langen Reise verschmutzt, steht ein nasser Sommer bevor. Findest du eine meiner Federn, schenkt sie dir Glück, Schutz, Wohlstand und Fruchtbarkeit. Bei meinem Flug orientiere ich mich am Erdmagnetfeld und liebe Plätze mit einer reinen Energie. Meine weithin leuchtenden Farben Schwarz-Weiß-Rot lassen meine Verbindung zur Dreifaltigen Göttin – der universellen Muttergöttin – erkennen.

Weitere Bedeutungen

- Eine neue Liebe und glückliche Zeiten stehen bevor.
- stärkende Impulse für ganzheitliche Heilung
- Tritt dein spirituelles Erbe an.
- Bote zwischen den Welten
- Nutze die Storchenkraft, um Seelenanteile zurückzuholen.
- Dem Storch ist die Rune Othila zugeordnet.
- Frau Holle steht in Verbindung mit dem Storch.
- familiärer Zusammenhalt, Verbindung zu den Ahnen

Affirmation

»Ich bin verbunden mit meinem dreifaltigen Selbst, zusammen sind wir ein unschlagbares Team.«

Strauß

Großes Ganzes

Bedeutung der Karte

Der größte und schnellste aller lebenden Vögel tritt anmutig und selbstbewusst in dein Leben, um dir bei Ungerechtigkeiten und Disharmonien zur Seite zu stehen. Der Strauß bringt die Elemente Luft und Erde mit sich und damit Erfindungsreichtum sowie ungewöhnliche, kreative Verhaltensweisen. Verbinde dich immer wieder in Stille und Meditation mit deiner geistigen Führung. Auf diese Weise gewinnst du die notwendige Umsicht, Weitsicht und Klarsicht, um belastende Situationen oder Emotionen, die vielleicht an bestimmte Menschen gekoppelt sind, zu erkennen. Erschaffe als Mitschöpfer im großen Plan ein starkes Bild einer friedlichen Entwicklung zum Wohle aller, und vertraue darauf, dass diese inneren Bilder deine Welt in Frieden und Harmonie wandeln.

Federzauber

Meine Federn stehen für Wahrheit, Ordnung und Gerechtigkeit und ein Leben im Einklang mit den göttlichen Gesetzen. Im alten Ägypten prüfte die Göttin Maat mit meiner Feder die Herzen der Menschen. Nur wer reinen Herzens war, konnte die Schwelle ins Andersreich übertreten. Bist du reinen Herzens, oder gibt es Umstände in deinem Leben, mit denen du im Unfrieden bist? Mein wacher, weiter Blick lässt dich alle Unebenheiten erkennen, damit du negative Gefühle wie Wut, Schuldzuweisungen und Vorwürfe loslassen kannst. Bleibe aufrichtig und wahrhaftig in deinem Sein, und deine Seele wird leicht wie eine Feder.

Weitere Bedeutungen

- Aufrichtigkeit, Ehrlichkeit
- starkes Selbstbewusstsein
- Mut, man selbst zu sein
- Dinge aus anderen Perspektiven sehen
- Ausdauer in schwierigen Zeiten
- Anpassungsfähigkeit
- Schnelligkeit und Beweglichkeit
- Anmut und Kraft
- Weltenei

Affirmation

»Ich öffne mich dem Frieden, der Freude und dem Glück in meinem Leben und erfahre das Wirken der göttlichen Gnade zum Wohle des Gesamten.«

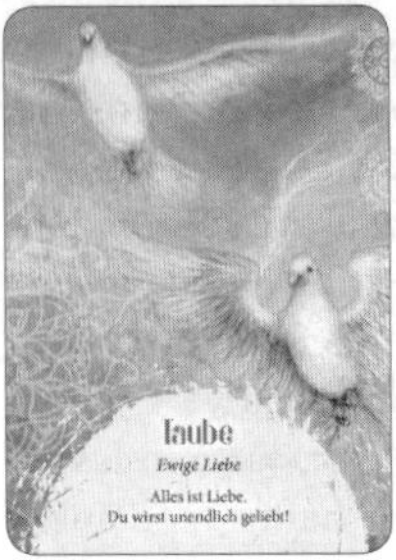

Taube

Ewige Liebe

Bedeutung der Karte

Fliegt die Taube in dein Leben, so erinnert sie dich an den Ruf deiner Seele. In dir liegt die göttliche Quelle, aus der du jederzeit Kraft schöpfen kannst. Lasse deine Liebe in die Welt strömen. Diese magnetische Kraft zieht alles in dein Leben, was deinem Herzen guttut. Durch sie wird eine Verbindung auf tiefer Ebene und auf allen Ebenen des Seins möglich. Fokussiere dich in der nächsten Zeit auf die Liebe in all ihren Facetten. Öffne dein Herz, und lasse einfach geschehen.

Zauberfedern

Meine weißen Federn symbolisieren den Heiligen Geist, Auferstehung und das Licht der Seele. Richtig eingesetzt, bringen sie Gnade, Erlösung und Heilung. Doch heute lande ich als Engel der Liebe in deinem Leben. Fühle die Liebe und deine Verbindung mit allem. Du wirst unendlich geliebt – sei dir dessen immer bewusst. Lasse dieses Wissen tief in dich einsinken, und öffne dich für das Wunder der Liebe. Achte auf deine

Träume, die Zeichen in deiner Umgebung, und lasse die Liebe aus deinem Herzen in die Welt strömen.

Weitere Bedeutungen

- Überbringer von Botschaften
- Symbol für Hoffnung und Frieden
- Sinnbild der Seele und des Heiligen Geistes

Affirmation

»Ich fühle die Liebe und die Verbindung zu allem in meinem Herzen. Ich öffne mich für das Wunder der Liebe.«

Über die Autorin

Jeanne Ruland war Autorin, Wegbereiterin in die Neue Zeit, Engelmedium, Lehrerin und internationale Seminarleiterin. Sie unterrichtete Natur-, Engel-, Meister- und Strahlenlehre, Huna sowie die Lehre der Heiligen Geometrie. Sie bot außerdem internationale Reisen zu Kraftorten an. Ihr fundiertes Wissen und ihre langjährige Erfahrung in der Energiearbeit gab sie gern weiter, um zu erinnern und zu erwecken. Am 13. November 2021, einem Engeltag, ist Jeanne Ruland ins Licht gegangen. In ihren zahlreichen Werken bleiben ihr unglaubliches geistiges Erbe, ihre Vision einer besseren Welt und ihr außergewöhnliches Licht unvergessen. Ihre bekanntesten Werke sind: »Das Geheimnis der Rauhnächte«, »Das große Buch der Engel«, »Die lichte Kraft der Engel«, »Die Gegenwart der Meister«, »Krafttiere begleiten dein Leben«, »ALOHA – Gelebte Liebe«, »Maria Magdalena« sowie Bücher, CDs und Kartensets zum Thema »Heilige Geometrie«.

www.shantila.de

Über die Künstlerin

Schon als Kind malte Petra Kühne sich in ihre eigene kleine Welt, umgeben von der Schönheit der Natur. Kunst war ihr Refugium, während sie Soziologie studierte und in verschiedenen Verlagen arbeitete. Als sie begann, für Chuck Spezzano Kartensets zu illustrieren und sich ihre Bilder immer mehr in der Welt verbreiteten, begriff sie diese gemalten Seelenlandschaften als innere, archetypische Wirklichkeiten, die sie mit allen Menschen teilt. Irgendwann widmete sie sich ganz ihrer Berufung, als freiberufliche Illustratorin das geschriebene Wort in ihrem Atelier »Traumwelt« in Kunstwerke zu übersetzen.

www.petralefaye.de

Ebenfalls von Jeanne Ruland erschienen im Schirner Verlag

Bücher:

Krafttiere begleiten dein Leben | 978-3-8434-1297-1

Helfertiere – Krafttiere als Wegbegleiter für besondere Lebensphasen | 978-3-8434-1437-1

Entdecke dein Krafttier – Das Arbeitsbuch | 978-3-8434-1513-2

Advents- und Weihnachtsrituale – Der Weg in das mystische Herz der Weihenächte | 978-3-8434-1313-8

Das Geheimnis der Rauhnächte – Ein Wegweiser durch die zwölf heiligen Nächte | 978-3-89767-865-1

Mein Rauhnacht-Begleiter – Ein lichtvoller Begleiter durch die 12 heiligen Nächte | 978-3-8434-1247-6

Mein Rauhnacht-Tagebuch | 978-3-8434-1348-0

Visionsbuch für die Rauhnächte – Wie wir unsere Jahresvision Wirklichkeit werden lassen | 978-3-8434-1396-1

Das Buch der Wünsche & Visionen – Übungen und Impulse für Manifestation, Intuition und Schöpferkraft | 978-3-8434-1410-4

Heilige Geometrie – Heilen mit dem Licht der Schöpfung – Das Praxisbuch zur Heil- und Lichtarbeit | 978-3-8434-1483-8

Die Heilige Geometrie der platonischen Körper – Die kosmischen Formen der fünf Elemente und ihre praktische Anwendung im Leben | 978-3-89767-875-0

Heilige Geometrie in der Natur – Schöpfungsmuster des Lebens und der Fülle entdecken und anwenden | 978-3-8434-1389-3

Heilige Geometrie in Aktion – ausrichten – energetisieren – heilen | 978-3-8434-1340-4

Die Entfaltung der Blume des Lebens – Praktische Anwendung und neue Zugänge | 978-3-8434-5010-2

Das Dodekaeder und die fünfte Herzkammer | 978-3-8434-5032-4

Merkaba – Die Aktivierung des Lichtkörpers für die neue Zeit | 978-3-8434-5013-3

Willkommen auf der Erde – Segenszeremonien für Kinder | 978-3-8434-5039-3

Abschied von dir – Segenszeremonien für die letzte Reise | 978-3-8434-1157-8

Ahnenheilung – Auflösung von uralten Familienprägungen | 978-3-8434-1438-8

Die Kraft der Segnung – Eine Schatzkiste voller Segenszeremonien | 978-3-8434-1485-2

Heiraten mit Licht und Liebe – Hochzeitsrituale und Segenszeremonien für eine freie Trauung | 978-3-8434-1459-3

Aloha – Gelebte Liebe und hawaiianische Huna-Philosophie | 978-3-8434-1395-4

Gelebte Liebe – wie wir ein glückliches Leben gestalten – Mein Aloha-Begleiter für das Jahr und das ganze Leben | 978-3-8434-1355-8

Tiki Waena – Der innere Seelengarten | 978-3-8434-1137-0

Grokken – Durch kreatives Visualisieren die Welt verändern | 978-3-8434-5075-1

Das große Buch der Engel – Alles über die himmlischen Begleiter und wie wir uns mit ihnen verbinden | 978-3-8434-1481-4

Was Engel dir sagen – Botschaften deiner himmlischen Helfer | 978-3-8434-1159-2

Die lichte Kraft der Engel | 978-3-8434-1242-1

Unterwegs mit Engeln – Ein Reisebegleiter für Herz und Seele | 978-3-8434-1519-4

Maria Magdalena – Lebe und heile deine Weiblichkeit | 978-3-8434-1128-8

Die Gegenwart der Meister – Einweihungen in höhere Welten auf dem Pfad der Selbstmeisterung | 978-3-8434-1458-6

Lemuria – Rückkehr in das Paradies – Erinnerungen der Seele | 978-3-8434-1350-3

Lemuria – Das Paradies in deinem Herzen – Begleiter in der Neuen Zeit | 978-3-8434-1399-2

Elfen, Feen, Gnome – Das Buch der Naturgeister | 978-3-8434-1339-8

Zauber der Naturreiche – Naturwesen – wie sie uns behüten und beschützen | 978-3-8434-1179-0

Lecker kochen mit den Naturgeistern – Ideen und Rezepte rund ums Jahr | 978-3-8434-1221-6

Engel-Kraftsüppchen | 978-3-89767-301-4

Dein Avalon-Begleiter – Ein Seelentagebuch für die inneren Ebenen | 978-3-8434-1392-3

Kartensets:

Krafttier-Orakel – Ein liebevoller Begleiter im Alltag | 978-3-8434-9092-4

Krafttier-Orakel 2 – Botschaften der Helfertiere | 978-3-8434-9110-5

Mein Rauhnacht-Orakel – Visionskarten für die 12 Heiligen Nächte | 978-3-8434-9104-4

Wünsche & Visionen – 60 Impuls-Karten für Manifestation, Intuition und Schöpferkraft | 978-3-8434-9134-1

Heilige Geometrie – Lichtvolle Schöpfungsenergie für jeden Tag | 978-3-8434-9197-6

Aloha – Kraft schöpfen aus der Quelle des Hawaiianischen Schamanismus | 978-3-8434-9020-7

Erzengel Raphael und die heilenden Kräfte des grünen Strahls | 978-3-8434-9162-4

Maria Magdalena – Rückkehr und Heilung der Weiblichkeit – Du bist unendlich geliebt | 978-3-8434-9032-0

Rückkehr der Marien – Die Heilerinnen des Lichts | 978-3-8434-9189-1

Die Gegenwart der Meister – Einweihungen in höhere Welten auf dem Pfad der Selbstmeisterung | 978-3-8434-9132-7

Lemuria – Rückkehr in das Paradies – Erinnerungen der Seele | 978-3-8434-9105-1

Zauber der Naturreiche – Naturwesen – wie sie uns behüten und beschützen | 978-3-8434-9067-2

Merlin-Orakel – Entdecke die Magie des großen Druiden | 978-3-8434-9147-1

Lichtvolle Impulse unserer Ozeane | 978-3-8434-9053-5

Delfine – Lichtvolle Botschaften für uns Menschen | 978-3-8434-9039-9

Klang der Wale – Botschaften der Neuen Zeit | 978-3-8434-9082-5

Die lichte Kraft der Engel | 978-3-8434-9083-2

CDs:

Heilen mit dem Licht der Schöpfung – 8 Meditationen zur Heil- und Lichtarbeit – gesprochen von Jeanne Ruland | 978-3-8434-8439-8

Eintauchen in das segensvolle Licht der Engel und Meister | 978-3-8434-3314-3

Rauhnächte – Vorbereitung und Segnung für das neue Jahr – 6 Meditationen – gesprochen von Jeanne Ruland | 978-3-8434-8330-8

Krafttiere – Reise zu dem Potenzial in dir | 978-3-8434-8343-8

Ozeanisches Bewusstsein – Die Aktivierung der unbegrenzten Weisheit unserer Seele | 978-3-8434-8267-7